1, 2, 3 petits chats
qui savaient compter jusqu'à 3

ISBN 978-2-211-08709-4
Première édition dans la collection *lutin poche* : mai 2007

Loi numéro 49 956 du 16 juillet 1949 sur les publications
destinées à la jeunesse : septembre 2004
Dépôt légal : avril 2021
Imprimé en France par Clerc SAS à Saint-Amand-Montrond

Michel Van Zeveren

1, 2, 3 petits chats qui savaient compter jusqu'à 3

Pastel
les lutins de l'école des loisirs
11, rue de Sèvres, Paris 6e

Il était une fois une maman

qui avait 1, 2, 3 petits chats

qui savaient compter jusqu'à 3.

Avant d'aller dormir, ils prenaient
leur bain dans 1, 2, 3 petites bassines.
Une pour chacun.

« Mais, Maman, Maman ! Il manque
un petit canard ! Et il manque un seau !
Et il manque un ballon ! »

« Oh, pardon, mes petits chats !
Vite, vite ! Voilà ! »

Maintenant, tout était bien.
Chacun pouvait prendre son bain.

Ensuite, ils recevaient
1, 2, 3 petits bols de lait.
Un pour chacun.

« Mais, Maman, Maman ! Il manque
une petite cuillère ! Et il manque
un napperon ! Et il manque une chaise ! »

« Oh, pardon, mes petits chats !
Vite, vite ! Voilà ! »

Maintenant, tout était bien.
Chacun pouvait boire son bol de lait.

Ensuite, ils allaient se coucher
dans leurs 1, 2, 3 petits lits.
Un pour chacun.

« Mais, Maman, Maman ! Il manque
un oreiller ! Et il manque un doudou !
Et il manque une lampe ! »

« Oh, pardon, mes petits chats !
Vite, vite ! Voilà ! »

Maintenant, tout était bien.
Les petits chats étaient prêts à dormir.

« Bonne nuit, mes petits chats. »

« Oh non ! Non ! Non !
Nous, on veut 1, 2, 3 bisous
avant de nous endormir. »

Mais maman chat avait peur
de se tromper encore une fois.

Alors, elle eut une idée.

Elle donna plein, plein,
plein de bisous.

Elle donna autant de bisous
qu'il y avait d'étoiles dans le ciel.

Les petits chats ne savaient pas
compter jusque-là.

Et c'était très bien comme ça !